D1057268

CHEZ LE MÊME ÉDITEUR

L'homme est le reflet de ses pensées, *James Allen*
Le plus grand miracle du monde, *Og Mandino*
S'aimer soi-même, *Robert H. Schuller*
Les lois dynamiques de la prospérité, *Catherine Ponder*
Une puissance miraculeuse attire des richesses infinies, *Joseph Murphy*
L'enthousiasme fait la différence, *Norman Vincent Peale*
Comment réussir sa vie, *Alfred Armand Montapert*
Se sentir bien dans sa peau, *Maxwell Maltz*
Vivre à deux en amour, *Roland Durand, ptre*
Plus haut, toujours plus haut, *Robert H. Schuller*
Souriez à la vie, *Roland Durand, ptre*
La puissance cosmique, *Joseph Murphy*
Trésor de joie et d'enthousiasme, *Norman V. Peale*
Une merveilleuse obsession, Lloyd C. Douglas
Obtenez des résultats positifs grâce à votre connaissance du comportement humain, *Cavett Robert*
La psychocybernétique et les jeunes, *Maxwell Maltz*
L'amitié, *Harold H. Dawley*
L'art de motiver les gens, *Lewis E. Losoncy*
Je suis capable!, *Ben Sweetland*
L'avenir vous appartient, *Robert H. Schuller*
Jouez gagnant, *Bill Glass*
Le chemin du bonheur, *Alfred A. Montapert*
Le choix, *Og Mandino*
Motivez les gens à agir, *Robert Conklin*
Passeport Beauté, Monique Duchesneau
Votre plus grand pouvoir, *J. Martin Kohe*
Aujourd'hui ou jamais, *Ben Sweetland*
En route vers le succès, *Rosaire Desrosby*
Vivre positivement une journée à la fois, *Robert H. Schuller*
Agenda du succès 1985
De l'échec au succès: Ma formule du succès dans la vente, *Frank Bettger*
Les principes de base du succès, *Denis Waitley*
Changez votre vie pour le meilleur, *Robert H. Schuller*
Les secrets pour conclure la vente, *Zig Ziglar*
Votre pouvoir personnel, *W. W. Atkinson et E. E. Beals*

En vente chez votre libraire.

Si vous désirez recevoir le catalogue de nos parutions, il vous suffit d'écrire à la maison d'édition en mentionnant vos nom et adresse.

FAITES PLUS QU'EXISTER... VIVEZ!

DISTRIBUTION:

- Pour le Canada:
  AGENCE DE DISTRIBUTION POPULAIRE INC.
  955, rue Amherst, Montréal H2L 3K4 (Tél.: (514) 523-1182)

- Pour la Belgique:
  VANDER, S.A.
  Avenue des Volontaires 321, B-1150 Bruxelles, Belgique
  (Tél.: 02-762-9804)

Cet ouvrage a été publié en langue anglaise sous le titre:
THE ART OF LIVING, par Simon & Schuster, Inc.,
1230 Avenue of the Americas, New York, New York 10020

Dépôts légaux 1er trimestre 1985
Bibliothèque nationale du Québec
Bibliothèque nationale du Canada

Conception graphique de la couverture:
MICHEL BÉRARD

Version française:
HÉLÈNE ROY MELANÇON

Photocomposition et mise en pages:
COMMUNICATION TEXCOM INC.

ISBN: 2-89225-073-0

Wilferd A. Peterson

FAITES PLUS QU'EXISTER...

VIVEZ !

Les éditions Un monde différent ltée
3400, boulevard Losch, Local 8
Saint-Hubert, Québec
Canada J3Y 5T6

Table des matières

L'art de

DONNER

Dieu nous a donné la vie. Il n'y a qu'une façon de le remercier, c'est de partager ce don. L'art de donner embrasse bien des domaines. C'est une vie qui déborde, qui rayonne.

Fondamentalement, on ne peut donner que ce que l'on est. Selon Maeterlinck, « tes pensées irradient comme d'un vase transparent. »

Les dons de *pensées* sont plus précieux que les dons d'*objets.*

Emerson l'a bien exprimé: « Bagues et bijoux ne sont pas des cadeaux, mais des excuses pour des cadeaux. Donner vraiment, c'est donner une partie de soi. »

Donner de soi, c'est donner de son coeur: amour, affection, joie, compréhension, sympathie, tolérance, pardon...

Donner de soi, c'est donner de son intelligence: idées, rêves, motivations, idéaux, principes, projets, créations, poésie...

Donner de soi, c'est donner de son âme: foi, prière, illuminations, beauté, espérance, paix…

Donner de soi, c'est donner de son temps, c'est prendre le temps de créer une vie plus riche pour les autres…

Donner de soi, c'est aussi donner de ses mots: encourager, inspirer, guider…

Il faut se donner comme le soleil donne ses rayons, et le feu, sa flamme.

À sa communauté, on doit offrir un honnête homme.

À sa famille, un mari et un père attentionné.

À son pays, un citoyen fidèle.

Au monde, on doit offrir une poussée verticale vers cette seule issue divine à laquelle tend toute la création.

Le don le plus merveilleux que l'on puisse faire à ses contemporains, c'est celui d'une vie remplie, créative et constructive.

L'art de

VENDRE

Que tout le monde vende, que biens, services et idées circulent davantage, et la prospérité s'installera.

La vente n'est pas limitée aux seuls vendeurs et commerçants. Nous avons tous un produit à vendre.

Quand tout le monde vend, il se crée un climat chaleureux, amical, qui transforme l'achat en une aventure amusante.

Il y a plusieurs façons de s'attirer et de s'attacher ses clients. Voici quelques-uns des éléments du grand art de la vente:

— des paroles aimables au lieu de mots acerbes
— des sourires au lieu de regards absents
— de l'enthousiasme plutôt que de l'ennui
— de la disponibilité au lieu de l'indifférence
— une attitude chaleureuse plutôt que froide
— de la compréhension au lieu d'un esprit borné
— de l'intérêt au lieu de la nonchalance

— de la patience au lieu de l'énervement
— de la franchise au lieu de faux-semblants
— des égards plutôt que des tracasseries
— une bonne mémoire des visages au lieu de négligence
— des faits plutôt que des discussions
— de la créativité plutôt que de la routine
— de la coopération au lieu de l'opposition
— donner plutôt que chercher à recevoir
— de la célérité plutôt que de l'indolence
— de la sympathie plutôt que de la froideur

Tous vendeurs, nous formons un grand orchestre où s'accordent coeurs, intelligences et esprits dans une magnifique symphonie de prospérité.

On fera plus d'affaires en méritant celles que l'on a déjà.

Que l'on sorte le tapis rouge pour la personne la plus importante au monde, notre client!

Et que tout le monde vende!

L'art de

VOYAGER

Si vous voulez partir, explorer les beautés de votre propre pays ou celles du monde entier, rappelez-vous ces quelques recettes qui peuvent se révéler utiles pour réussir votre voyage:

Évitez les surcharges. Vous ne voyagez pas pour que l'on vous voit.

Ne vous hâtez pas. Les avions à réaction sont utiles pour se rendre quelque part, et non pour voir quelque chose. On ne saurait s'imprégner de la beauté d'une montagne ou d'une cathédrale en quelques minutes.

Ouvrez-vous à l'émerveillement. Chaque endroit que vous visitez peut devenir un cadeau-surprise. Il suffit de le déballer en s'attendant au mieux, pour en faire une merveilleuse aventure.

Conservez l'espoir. R.L. Stevenson a écrit qu'il était plus important de voyager avec l'espoir au coeur plutôt que d'arriver quelque part.

Soyez humble. On ne saurait s'en tirer sans respecter et reconnaître les traditions et les façons de vivre des peuples que l'on côtoie.

Restez courtois. La politesse que vous manifesterez envers vos compagnons de voyage et vos hôtes pourra aplanir bien des difficultés.

Manifestez de la reconnaissance. Il ne s'agit de rien d'autre que de reconnaître les efforts déployés par ceux qui s'occupent de notre bien-être.

Soyez large d'esprit. Laissez donc vos préjugés à la maison.

Aiguisez votre curiosité. L'important n'est pas d'aller plus loin, mais d'aller plus en profondeur. Thoreau a déjà écrit un gros livre sur un tout petit étang.

Servez-vous de votre imagination. Comme le dit le vieux proverbe espagnol: « Celui qui veut ramener les richesses de l'Inde chez lui doit transporter les richesses de l'Inde avec lui. »

Laissez vos craintes à la maison, et avec elles, vos soucis et votre timidité. La terre et les peuples de la terre vous appartiennent autant que vous appartenez à la terre.

Détendez-vous. Au plus profond de vous-même, choisissez d'avoir du plaisir. Dieu s'occupera du reste.

Prenez votre temps. Vous en aurez besoin pour comprendre les autres, surtout avec les différences de langues et de moeurs. Il faut savoir être souple pour s'adapter à toutes les situations.

Devenez un citoyen du monde. Vous découvrirez bientôt que les gens, où qu'ils vivent, se ressemblent. Et si vous portiez cette bonne volonté à travers le monde?

L'art de
MAÎTRISER LA PEUR

La peur est un cheval sauvage qui a besoin d'un bon mors; il est à la fois ami et ennemi, bénéfique et maléfique, et pour vivre, on doit apprendre à le domestiquer.

On peut utiliser le système d'alarme de la peur pour se protéger du danger.

On peut canaliser l'énergie que produit la peur, en cas d'urgence, comme mécanisme de lutte ou de fuite.

On peut se servir de la peur de l'insécurité, de la défaite ou de l'échec, comme stimulant pour réussir.

On peut se garder du pouvoir destructeur de la peur en se rappelant l'ancienne légende de la peste qui allait à Bagdad pour tuer cinq mille personnes. Cinquante mille personnes moururent. On s'en prit à la peste qui répliqua: « Je n'ai tué que cinq mille personnes tel que prévu, les autres sont mortes de peur. »

On peut, par la force de sa raison et de ses connaissances, inonder de lumière les replis les plus obscurs de ses peurs et ses superstitions. On arrive alors à cerner clairement les éléments encore inconnus; le réel triomphe de l'imaginaire; les mauvais génies disparaissent et la vérité libératrice apparaît.

On peut accepter que la vieillesse et la mort sont des phénomènes naturels et inévitables, et qu'il est ridicule de les craindre. Le mieux est d'y faire face calmement en les ignorant et en vivant bravement, jour après jour, une journée à la fois.

On peut s'inspirer des mots du cardinal Newman: « Ne craignez pas de perdre la vie. Craignez de ne jamais l'avoir vécue. »

On peut volontairement prendre des risques et se lancer dans des aventures qui comportent des dangers en se répétant qu'une vie surprotégée passe à côté de bien des choses, et, comme l'a dit le barde de Avon: « Les lâches meurent plusieurs fois avant la dernière heure. L'homme courageux ne goûte la mort qu'une fois. »

On peut aller de concert avec les grandes lois de l'univers et comprendre que « Dieu ne nous a pas donné l'instinct de peur, mais de puissance, d'amour et de bon entendement. »

On peut découvrir la plus grande loi: « L'amour parfait chasse la peur. »

Il n'y a qu'à voir la puissance de la foi et les miracles qu'elle accomplit. On peut se souvenir de ces quelques mots: « La peur a frappé à la porte. La foi a ouvert. Il n'y avait plus personne! »

L'art d'

ÊTRE SOI-MÊME

Découvrir en soi l'individu que l'on veut être, c'est ça l'art d'être soi-même. Un biologiste réputé a dit: « La probabilité que naissent deux jumeaux absolument identiques est de une sur la somme d'électrons que contient le monde. » Chaque homme est donc un être unique.

Grâce à Dieu, vous êtes ce que vous êtes. Sachez en être fier; acceptez-le. C'est là le meilleur point de départ.

Pourquoi ne pas commencer en ayant confiance en vous et en votre destin? « Aie confiance en toi, écrivait Emerson, tous les coeurs vibrent à cette corde de fer. »

Soyez prêt à défendre votre droit à être vous-même. Il faut oser être différent, choisir sa propre voie, vivre sa propre vie et suivre sa propre étoile.

Vous méritez le respect. Vous avez le droit d'être là et votre tâche est importante.

Pourquoi devrait-on accepter de n'être que l'ombre de soi-même? Débarrassez-vous de votre carcan, vous êtes plus grand que vous n'en avez l'air.

Il y a au fond de vous de multiples petites étincelles de potentialités; elles ne demandent qu'un souffle pour s'enflammer en de magnifiques réussites.

Suivons le conseil de Socrate: « Connais-toi toi-même. » Faisons l'inventaire de nos forces et faiblesses, notre relation au monde, nos potentialités, notre héritage spirituel, nos visées, nos buts.

Il faut se donner la personnalité avec laquelle on sera content de vivre jusqu'à la fin de ses jours.

Faites vôtre cette prière d'un nouveau converti: « Dieu, aide-moi à transformer le monde, en commençant par moi. »

Soyez aimable avec vous-même, apprenez à vous aimer, à vous pardonner; seul celui qui agit correctement face à lui-même pourra faire preuve d'une attitude correcte avec les autres.

Et si nous suivions tous cette sage maxime de Shakespeare: « Comme le jour suit la nuit, celui qui est honnête envers lui-même ne peut tromper personne. »

Rire permet de faire face aux défis de la vie. Il faut en croire Will Rogers qui avait l'habitude d'observer les gens le rire aux yeux et l'amour au coeur. « Je n'ai jamais rencontré un homme que je n'aie pas aimé », disait-il.

On peut apprendre le rire des enfants; sachons nous mettre à leur place, dans leurs pensées, leurs rêves, leurs jeux.

Il est possible de jouer avec ses problèmes, de les lancer de tout bord, tout côté, somme toute de les prendre assez légèrement.

Mettez en pratique cette « prescription » d'un psychiatre à ses patients normaux: « Pour l'amour, cessez de vous prendre au sérieux! »

Le rire peut servir de soupape de sûreté pour conserver calme et santé mentale. Emerson l'a très bien illustré: « Entre le comique et les autres hommes, il y a un lien de sympathie, un contrat de santé. Nous apprenons aussi bien par le rire que par la peur ou les larmes. »

Souvenons-nous du vieux proverbe: « L'homme le plus sage goûte parfois la fantaisie. »

Soyez sûr que l'aiguillon du rire fait crever les ballons de la prétention et s'assouplir les collets montés.

Une bonne pinte de rire dans les situations les plus tendues peut sauver la mise. Le rire apaise les emportements, soulage les nerfs irrités.

Le rire est un merveilleux cicatrisant; il remplit une pièce de bonne humeur.

Il est possible d'éviter le spleen en se rappelant les sages paroles de Henry Ward Beecher: « Un homme sans humour est comme un wagon sans ressorts... Chaque caillou de la route le secoue malencontreusement. »

Il est bon de raconter les histoires drôles qui nous sont arrivées; rions *avec* les autres, mais jamais *des* autres.

Si on pouvait apprendre à considérer ses difficultés avec un regard amusé, à les regarder de loin, comme si elles appartenaient à un autre, on arriverait à en rire!

Par-dessus tout, apprenons à rire de nous-mêmes, que l'humour soit présent à l'aube de chacune de nos journées.

Le rire est le meilleur médicament pour garantir une vie longue et heureuse. Qui rira... vivra!

L'art de la

CONSCIENCE

Thoreau a écrit: « Le soleil se lève seulement les jours où on est éveillé. » L'art de la conscience, c'est celui d'apprendre à s'éveiller à l'éternel miracle de la vie avec ses possibilités sans bornes.

C'est être en mesure de répondre à l'appel du vieux cantique, « Éveille mon âme, étire chaque nerf. »

C'est développer cette profonde sensibilité qui peut faire souffrir, parfois profondément, qui peut faire mourir un peu, mais qui dévoile également toute la grandeur d'une vie humaine.

C'est s'imprégner de la philosophie d'Albert Schweitzer qui nous apprend à *respecter* la vie, celle des fourmis comme celle des hommes, c'est de vivre en communion avec tout ce qui vit.

C'est vivre les espoirs, les rêves, les craintes et les désirs des autres, de façon à les comprendre et à les aider.

C'est de savoir lire les pensées, les sentiments et les humeurs de l'autre à travers ses paroles, son intonation, ses attitudes et ses mouvements.

C'est être ouvert à tout ce qui se passe autour de soi, c'est chercher, observer, imaginer, de façon à approfondir son désir de connaître le monde.

C'est travailler à élargir le champ de l'oeil et de l'oreille, prendre le temps de voir et d'entendre, de comprendre.

C'est rechercher la beauté partout, dans une fleur, une montagne, une machine, un sonnet ou une symphonie.

C'est aborder les mystères de la vie avec crainte, humilité et admiration.

C'est découvrir le pouvoir mystique du silence et arriver à reconnaître la voix secrète de son intuition.

C'est éviter les angles morts face aux problèmes et aux situations, c'est tenter sans relâche de voir la vie comme un tout.

C'est donner une nouvelle dimension à sa vie par l'épanouissement de sa personnalité.

La conscience permet de garnir, d'enrichir la mémoire; et comme l'a dit un grand philosophe, « L'homme pense avec sa mémoire. »

L'art de PENSER

L'art de penser est le plus grand d'entre tous. « Tel l'homme pense en son coeur, tel il est. » Celui qui pense sait qu'il est aujourd'hui là où l'ont mené ses pensées et que son futur dépend de la qualité de ses pensées.

Il reconnaît la puissance souveraine de son esprit et décide ainsi de ce qu'il laissera pénétrer dans son univers mental par le canal de ses sens. Il peut penser par lui-même, saisir l'évidence, découvrir la vérité et l'utiliser comme fondement de son existence.

Il n'établit pas de limites aux pouvoirs de la pensée et n'ignore pas qu'une grande réussite est toujours issue d'une grande réflexion.

Tout d'abord, il définit clairement ce qu'il veut réaliser et travaille ensuite à matérialiser ses idées.

Il sait que tout commence par une idée et que la puissance créatrice de la pensée est la plus grande puissance du monde.

Comme le rayon lumineux qui pénètre la nuit, son pouvoir de concentration lui permet d'éclairer les faits.

Sans préjugé, il observe, analyse, examine, interroge, pour découvrir une solution à son problème.

Son esprit devient l'usine qui produit faits et données, la matière première à partir de laquelle il façonnera ses pensées.

Ses pensées tiennent à la fois de l'objectivité et de la subjectivité; son pouvoir mental se nourrit du monde extérieur et de son univers mental.

Il utilise son subconscient et lui commande de rejoindre ses idées pendant la nuit. Il n'ignore pas que la pensée, comme un arbre, croît nuit et jour.

Il étudie les lois de la causalité et tente de travailler en harmonie avec elles.

Son approche est à la fois intuitive et logique: L'imagination lui sert à créer et l'esprit critique, à juger; il passe ses inspirations au crible de la logique.

Il refuse les idées toutes faites et envoie son esprit dans toutes les directions pour élargir le champ de son univers mental.

Il recherche la maturité en essayant de conserver la simplicité de l'enfance.

C'est humblementt qu'il émet ses idées, puisqu'il sait très bien que toute idée individuelle recèle les pensées et les efforts de plusieurs.

Il a compris que son esprit créateur est à son apogée quand il est en harmonie avec l'infini, quand il est à l'écoute des plus grandes puissances de la raison et de l'âme.

Il utilise la puissance que Dieu lui a donnée pour choisir sa voie et marquer sa destinée; avec sagesse, il tente de faire le meilleur choix.

L'art de

VIVRE L'ÉCHEC

Celui qui espère éviter tout échec et tout malheur vit dans un conte de fées. Le sage, lui, considère l'échec avec réalisme; il l'accepte comme inévitable et s'arrange pour y faire face et en tirer profit.

Il vit selon le principe du « qui ne risque rien n'a rien », et il est convaincu qu'un échec n'est qu'un gage de sa volonté de réussir.

Il ne se fixe pas un idéal impossible, celui de réussir en tout et partout.

Il agit au meilleur de sa connaissance et peut ensuite, sans remords, accepter l'inévitable.

Il apprend, avec l'homme de science, que la meilleure recherche est faite de 99 % d'erreurs et de 1 % de succès et que c'est ce 1 % que l'on retient.

Il puise son courage dans l'histoire des grands hommes et de leurs erreurs. Ainsi, on a décrit Louis Pasteur comme « le phénix de la science qui a réussi à sortir victorieux du marais de ses propres erreurs ».

Il reconnaît que s'il ne peut pas toujours contrôler les événements, il peut toujours contrôler ses réactions face à ses échecs.

Il a bien vu que l'eau qui pénètre à l'intérieur du bateau est la seule qui puisse le couler, et il évite soigneusement de laisser pénétrer en lui l'idée de l'échec.

Il sait que tant et aussi longtemps qu'il garde sa confiance en Dieu et en lui-même, rien ne peut le faire tomber pour toujours.

Il sait que l'homme doit relever la tête devant l'épreuve. Comme la balle de caoutchouc qui rebondit en touchant le sol, il apprend à rebondir sous le choc de l'échec.

Il sait que la vie, tout comme la marée, a des lois qui lui sont propres; alors il apprend à laisser le temps faire son oeuvre.

Les leçons de l'échec lui servent pour l'avenir; ses erreurs sont devenues les feux rouges qui lui interdisent l'accès aux voies de la défaite.

Comme le porteur du ballon, au football, il apprend à tomber vers l'avant, afin de tirer le meilleur parti de chaque erreur.

Il se tient debout pour défier l'échec, comme l'a écrit Mark Twain: « Un cheval fougueux ne se laisse pas arrêter par quelques piqûres d'insectes.

Il va toujours plus loin.

Il garde, comme un fétiche, ces mots du prophète: « Cela aussi aura une fin. »

L'art de l'
AVENTURE

Il pratique vraiment l'art de l'aventure, celui qui, héroïquement, fait face à la vie et qui, à l'instar de Frank Crane, dit: « Mon âme est une aventurière, un second Colomb, et ce n'est ni les fuites d'eau, ni les sombres mystères qui vont me faire rebrousser chemin, ou me faire crier grâce. »

Quand il ose ouvrir les portes à de nouvelles expériences et se lancer hardiment à la découverte d'horizons nouveau.

Quand il ne craint pas les nouvelles idées, théories et philosophies.

Quand son intérêt le pousse à faire l'essai de nouvelles façons de vivre et de penser.

Quand il est assez souple pour se plier à différents modes de vie.

Quand il refuse le travail sans risque, la tâche facile, pour lutter courageusement contre les problèmes épineux et les difficultés les plus âpres.

Quand il accepte avec vaillance le défi des tâches les plus difficiles et les éloges pour le travail bien fait.

Quand, avec constance, il aide ceux en qui il a confiance et oeuvre pour les causes auxquelles il croit.

Quand il ne croupit pas dans la routine mais ose plonger dans l'inconnu de livres nouveaux, de nouvelles destinations, de nouveaux amis, de nouveaux passe-temps, de nouvelles opinions.

Quand il considère la vie comme une recherche constante du plus noble et du meilleur.

Quand il a le courage de laisser derrière lui une vie superficielle pour plus de profondeur.

Quand il reconnaît que la vie n'a que les limites qu'il lui donne et voit autour de lui les possibilités sans nombre de grandir et de s'accomplir.

Quand il sait rester jeune avec un coeur rempli d'idéal; quand il ne laisse pas mourir ses rêves.

Quand il arrive à la conclusion que la routine mène tout droit à la mort et que, pour s'en éloigner, il faut vivre avec audace et, à chaque instant, s'accrocher à la vie.

L'art d'

ÊTRE HEUREUX

Ce n'est pas en le cherchant qu'on trouvera le bonheur. Le bonheur vient à soi sans que l'on s'y attende, quand on aide les autres. La philosophie du bonheur rejoint ce vieux proverbe hindou: « Fais traverser le fleuve au bateau de ton frère, et tu verras que le tien y est déjà amarré. »

Le bonheur est comme un vaporisateur à parfum; il est impossible d'en mettre à un autre sans en être soi-même aspergé.

Le bonjeur n'est pas lié à l'épaisseur du porte-monnaie, mais aux richesses de ses pensées et de ses émotions.

Le bonheur ne vient pas de l'extérieur, mais de l'intérieur de soi; il se mesure par l'attitude que l'on a face aux problèmes de la vie.

Le bonheur est un état d'esprit; Lincoln a déjà dit: « On est aussi heureux que l'on décide de l'être. »

Le bonheur ne vient pas quand on fait ce que l'on aime, mais quand on aime ce que l'on fait.

Le bonheur surgit quand on met tout son coeur dans son travail et quand on le fait avec joie et enthousiasme.

Le bonheur n'est pas lié au travail facile, mais à la satisfaction que l'on éprouve quand on a accompli une tâche difficile qui a exigé le meilleur de soi.

Le bonheur se trouve dans des relations harmonieuses avec les autres; il exige bonne volonté, tolérance, compréhension et amour.

Le bonheur est dans les petites choses: le sourire d'un enfant, une lettre d'un ami, le chant d'un oiseau, une lumière à la fenêtre.

Le bonheur vient du travail constructif; c'est l'activité créatrice que l'on privilégiera dans ses loisirs ou au moment de la retraite.

Le plus grand secret pour être heureux, c'est de pouvoir se lever chaque jour en sachant au fond de soi que: « Pour celui qui aime Dieu, tout finit par s'arranger pour le mieux. »

L'art de l'

AMITIÉ

On ne peut parler de l'art de l'amitié sans être soi-même un ami; par la suite, se faire des amis va de soi. Il faut d'abord être son propre ami, et on le sera en étant fidèle à ce qu'il y a de plus grand et de meilleur en soi, ne recherchant que les valeurs humaines qui font grandir et progresser.

Être un ami, c'est s'efforcer d'être « l'ombre du rocher dans le désert », la source et le refuge de celui qui marche dans l'obscurité.

Être un ami, c'est croire en la bonté naturelle, en la grandeur potentielle de l'homme; c'est voir en lui des possibilités infinies et savoir qu'il peut répondre aux plus nobles attentes.

Être un ami, c'est s'efforcer d'élever les autres et non les rabattre, leur donner du courage, et non les décourager, d'être un exemple, une source d'inspiration.

Être un ami, c'est être à l'écoute des rêves et désirs de l'autre, c'est lui montrer combien l'on apprécie tout ce qu'il fait pour nous.

Être un ami, c'est connaître toutes les ressources du silence et de la parole, de façon à ce que mon discours soit un outil pour construire et non une arme qui détruit, un médicament et non un poison.

Être un ami, c'est fermer les yeux devant les erreurs des autres et les ouvrir sur les siennes.

Être un ami, c'est ne jamais avoir la volonté de corriger ou de blâmer, c'est avoir celle de rendre heureux chaque fois que c'est possible.

Être un ami, c'est être soi-même et rejeter l'hypocrisie, les faux-semblants et la prétention, c'est accepter de rencontrer et de se mêler aux gens en toute simplicité et humilité.

Être un ami, c'est pratiquer la tolérance, la compréhension, le pardon, c'est savoir que l'erreur est humaine et que celui qui n'a jamais fait d'erreur n'a jamais rien fait.

Être un ami, c'est se joindre à ceux qui travaillent à de grandes idées, à de nobles causes, c'est mettre la main à la pâte pour que soient atteints les objectifs communs.

Être un ami, c'est faire plus de la moitié du chemin, c'est saluer avant qu'on ne nous salue, c'est déborder de bonne volonté et la semer à tout vent.

Être un ami, c'est garder à l'esprit que l'homme est un aimant qui attire ce par quoi il est attiré, qui reçoit ce qu'il a donné.

Être un ami, c'est savoir que personne ne saurait posséder toutes les réponses et que chaque jour peut apporter un peu plus dans l'art de vivre l'amitié.

L'art de l' EFFICACITÉ INDIVIDUELLE

Pour arriver à diriger les autres efficacement, il faut d'abord savoir organiser sa propre vie. C'est ça, l'efficacité individuelle. Ce n'est pas dépasser les autres, mais se surpasser soi-même.

C'est être suffisamment motivé pour s'attaquer aux tâches que l'on a sous la main. « La vie surgit comme d'un geyser, a écrit Alexis Carrel, pour ceux qui creusent le rocher de l'inertie. »

C'est tout tenter pour trouver la façon la meilleure, la plus facile et la plus rapide d'arriver à ses fins.

C'est l'art de faire les choses de façon ordonnée, une à la fois, et de pouvoir se concentrer intensément sur ce que l'on fait.

C'est décomposer les lourdes tâches en éléments moins complexes, en faisant une partie du travail à la fois.

C'est ne pas être esclave du système, mais faire du système son esclave.

C'est prendre des notes pour ensuite abandonner sa mémoire aux bons soins du crayon et du papier.

C'est utiliser ce que Kipling appelle « ses six honnêtes serviteurs »: le quoi et le pourquoi, le quand et le comment, le qui et le où.

C'est se doter d'un esprit efficace où règent équilibre, observation, organisation, force et compétence.

C'est rechercher l'avis du sage, de vive voix ou dans ses écrits, et utiliser sa sagesse et son expérience pour apprendre à vivre plus efficacement.

C'est se donner un réseau d'habitudes sûres, qui commanderont les bonnes réactions au bon moment. Ne pas oublier que ce sont ces habitudes qui font le sportif ou l'homme d'affaires compétent.

C'est avoir un but et se donner les moyens d'y arriver.

C'est se donner des stimulants, se promettre des récompenses pour le travail accompli.

C'est prendre sa vie en main plutôt que de la laisser voguer à la dérive.

C'est organiser sa vie efficacement dans tous les domaines majeurs de l'existence: travail, jeu, amour et religion.

C'est mettre le temps de son côté en retirant le meilleur de chaque minute.

L'art de se DÉTENDRE

L'homme moderne doit apprendre à se débarrasser des tensions de la vie quotidienne, ou alors les tensions auront raison de lui. Souple comme le roseau de la fable, il apprendra à ployer sous les tensions pour se redresser après le passage de la tempête.

C'est avec des pensées sereines, apaisantes, qu'il peut installer le calme dans son esprit. Il imagine l'étang entre les pins et se met au diapason de la grande paix de la nature.

Il s'efforce de toujours conserver sa sérénité de façon à garder son équilibre au milieu de la tourmente des activités quotidiennes. Il apprend à accepter l'inévitable et prend la vie comme elle vient, avec l'intime conviction du triomphe final du bon et du bien.

Il arrive à détendre son corps en imitant le paresseux, le petit garçon au soleil sur la plage, le pêcheur dans son bateau. Il s'inspire du clown qui évite les blessures en se laissant tomber comme une vieille poupée de chiffon.

Il fait de l'exercice, marche, s'étire, jardine, joue au golf... parce qu'il n'est pas sans savoir que la fatigue physique invite au repos et au sommeil.

Comme la confusion est l'une des principales causes de la tension, il met de l'ordre dans son travail, commence par le commencement, fait une seule chose à la fois, évite une trop grande hâte et fait de la place dans sa tête.

La réconfortante beauté de la grande musique l'aide à se calmer les nerfs.

Il a bien observé le visage tiraillé de l'homme tendu et le sourire de celui qui est bien dans sa peau. C'est ce pour quoi il veut acquérir un solide sens de l'humour; il évite de se prendre trop au sérieux et apprend à rire de lui-même quand l'occasion se présente.

La méditation, c'est important pour lui. Il prend bonne note du sage conseil d'Emerson, qui a écrit: « Place-toi au milieu du courant de la puissance et de la sagesse qui traverse tout, et, sans effort, tu saisiras le vrai, le juste, à ton entière satisfaction. »

Il verra enfin que la détente est une façon de vivre et administrera son corps, son intelligence, son coeur et son âme aussi bien qu'il administre son entreprise.

L'art de

DIRIGER

En mots simples, on peut définir le meneur d'hommes comme celui que d'autres hommes suivent. Et ils le suivent parce qu'il le mérite. L'autorité ne suffit plus à commander le respect.

Le meneur est un grand serviteur. Le grand Maître des hommes a bien exprimé l'idéal du dirigeant démocratique quand il a dit: « Et que celui qui sera votre chef soit votre serviteur. »

Le meneur voit par les yeux de ses hommes. Il se met à leur place et les aide à réaliser leurs rêves.

Il ne dit pas « Allez! », mais plutôt « Allons! », et il montre la voie. Il ne les suit pas avec un fouet, il les précède, bannière au poing.

Il est persuadé que ses hommes travaillent avec lui et non pour lui.

Il les voit comme des compagnons de travail et s'assure de leur part de profit. C'est l'esprit de groupe qui est important pour lui.

Le meneur se dédouble dans les autres. Il aide les autres à grandir parce qu'il sait qu'une organisation sera d'autant plus forte qu'elle possédera de grands hommes.

Le meneur ne rabaisse pas les gens, il les aide à monter. Il tendra la main pour aider ses partisans à atteindre les sommets.

Le meneur a confiance en ses hommes, croit en eux. C'est ainsi qu'il va chercher le meilleur d'eux-mêmes. Il a compris qu'ils pouvaient répondre à ses attentes les plus hautes.

Le meneur sait se servir de son coeur comme de sa tête. Il considère les choses d'abord avec sa tête, puis avec son coeur. Il n'est pas seulement un patron, mais un ami aussi.

Le meneur est un initiateur. Il conçoit les projets et les met en branle. C'est un penseur et un homme d'action, un rêveur et un travailleur.

Le meneur a le sens de l'humour. Il n'est pas collet monté. Il peut rire de lui-même. Il est humble.

Le meneur est souple, il sait se laisser diriger. Ce n'est pas forcément son idée qu'il défend, mais la meilleure idée. C'est un homme ouvert.

Le meneur a toujours de grands idéaux. Il travaille à ce que ses efforts et ceux de ses partisans enrichissent la personnalité, améliorent la qualité de la vie et contribuent au développement de la civilisation.

L'art de l'

EXISTENCE

L'art de l'existence, c'est croire que l'on possède, à cet instant même, les ressources spirituelles et les attitudes intellectuelles qui sont le gage d'une vie magnifique.

C'est la philosophie de « *l'être maintenant* » qui s'oppose à celle du devenir dans un avenir vague et lointain.

C'est reconnaître que le courage, la joie, la sérénité, la foi, l'espoir et l'amour sont à la portée de la main, et que l'on doit s'ouvrir à eux afin de les exprimer dans notre vie de tous les jours.

C'est vivre cette phrase de Shakespeare: « Prétends à cette vertu que tu ne possèdes pas », puisqu'on sait la force de l'habitude qui peut l'ancrer en nous.

C'est être grand maintenant, pardonner maintenant, réussir maintenant, être tolérant maintenant et être heureux maintenant, plutôt que de remettre indéfiniment à demain la vie pleine et riche que l'on désire.

C'est être intimement convaincu que demain deviendra *aujourd'hui*, et que c'est à cet instant précis qu'il faut agir.

C'est ne pas perdre de vue que l'on a tous une grande tâche, non pas celle de dépasser les autres, mais celle de se surpasser.

C'est ne pas perdre de temps à penser à la vie merveilleuse que l'on aura dans un an ou dans dix ans, mais commencer à vivre du mieux que l'on peut dès maintenant.

C'est se mettre à l'écoute de ce vieux prophète chinois qui avait vu « qu'un voyage de mille kilomètres commence toujours par un premier pas », et c'est faire ce premier pas aujourd'hui.

C'est commencer aujourd'hui à être cet homme que je veux être.

C'est devenir conscient des possibilités infinies de chaque moment magique.

C'est donner de nouvelles dimensions à l'instant présent en y insufflant une bonne bouffée d'énergie créatrice.

C'est immortaliser le moment qui passe, c'est donc donner à sa vie un sens pour l'éternité.

C'est comprendre pleinement que le Maître nous a révélé le secret d'une existence réussie quand il nous a dit que le Royaume de Dieu n'était pas très éloigné, qu'il était en chacun de nous, maintenant.

L'art de LIRE

L'art de lire vient à l'esprit avide, curieux, qui cherche dans les livres des réponses à ses questions. Ouvrir un livre, c'est ouvrir une porte vers les horizons illimités de la connaissance, de la sagesse et de l'inspiration, c'est donner une dimension nouvelle à sa vie.

Lire, ce peut être vivre mille vies en l'espace d'une seule, découvrir l'Amérique avec Christophe Colomb, être aux côtés de Lincoln à Gettysburg, travailler au laboratoire d'Edison, marcher dans les champs en compagnie de saint François.

Lire, ce peut être embrasser par l'imagination toute l'histoire du monde, assister à la montée et au déclin de toutes les civilisations, au flux et au reflux des grandes batailles, aux boulversements dans la façon de vivre des hommes à travers les temps.

Lire, ce peut être s'alimenter aux psaumes, aux béatitudes, au treizième chapitre de la première épître aux Corinthiens, et à tous ces autres nobles écrits qu'a effleurés la grâce de Dieu.

Lire, ce peut être connaître la grandeur de la poésie, la sagesse des philosophes, les découvertes des hommes de science.

Lire, ce peut être reprendre aujourd'hui l'oeuvre de grands penseurs là où ils l'ont laissée hier. Car les livres sont le gage de l'immortalité de la connaissance humaine. Il y a mille ans sont morts des philosophes qui continuent, par leur oeuvre, à vivre avec nous aujourd'hui.

Lire permet aussi d'intégrer sa vie à celle de ce monde où l'on vit, car les livres sont le pont entre le passé, le présent et l'avenir. Il faut donc lire, en puisant à cet immense réservoir qui est à notre portée.

Lisons plusieurs livres à la fois, une biographie, un roman, un livre d'histoire, un livre lié à notre travail, et laisson-nous porter de l'un à l'autre, suivant nos humeurs.

Lisons toujours crayon en main, de façon à souligner les passages les plus importants, ce qui facilitera la relecture et permettra d'aller plus rapidement à l'essentiel.

Il faut lire tous les jours, réserver une partie de son temps à la lecture. Lire quinze minutes par jour, c'est lire vingt livres par année.

Lisons pour augmenter nos connaissances, parfaire notre formation, aiguiser notre perspicacité, élargir le champ de notre conscience.

Lisons pour être au premier rang, pour grandir!

L'art de

RÉUSSIR

*I*l n'y a pas de secret pour qui veut réussir. Faire ce que l'on sait devoir faire, éviter ce que l'on sait devoir éviter, c'est là que réside le succès.

La réussite ne saurait toucher qu'une seule des sphères de ta vie. Elle englobe tous les rôles: celui de parent, de mari ou de femme, de citoyen, voisin, travailleur, et j'en passe.

La réussite ne saurait se confiner à une seule des facettes de la personnalité; elle est liée au développement total de la personne: corps, intelligence, coeur et âme.

La réussite, c'est toutes ses capacités, talents et aptitudes qui émergent le plus efficacement possible. Et pour reprendre Longfellow, « c'est bien faire ce que l'on fait, quoi que l'on fasse ».

La réussite, c'est mettre tout son coeur dans un travail que l'on aime. C'est être amoureux de son travail. Ceci exige que l'on se concentre sur le but de sa vie, que l'on rassemble toutes ses énergies pour obtenir ce qui nous tient le plus à coeur.

La réussite est d'abord une attitude mentale; elle parle d'amour, de joie, d'optimisme, de confiance, de sérénité, d'équilibre, de foi, de courage, de gaieté, d'imagination, d'initiative, de tolérance, d'honnêteté, d'humilité, de patience et d'enthousiasme.

La réussite ne s'arrête pas au sommet d'une montagne comme si c'était l'ultime destination, car elle progresse sans arrêt à la manière d'une spirale ascendante. Elle est en croissance perpétuelle.

La réussite porte en elle-même le courage de faire face à l'échec. Elle refuse de se laisser distraire de son objectif final par un échec momentané.

La réussite accepte le défi des moments difficiles. Inspirons-nous des mots merveilleux de Phillips Brooks: « Ne prie pas pour que l'on te donne des tâches qui conviennent à tes aptitudes. Prie plutôt pour que tes aptitudes conviennent à ta tâche. Ainsi ton travail ne sera pas le fruit d'un miracle; c'est en toi-même que se sera opéré le miracle. »

La réussite est bien relative, bien individuelle et bien personnelle. C'est accumuler les minutes, les heures, les jours, les semaines, les mois et les années pour faire de sa vie une aventure merveilleuse.

L'art de

RENDRE GRÂCE

Rendre grâce, c'est *vivre sa gratitude*, c'est une reconnaissance qui agit. Schweitzer l'a bien compris, et a écrit: « Tu dois être reconnaissant de tout ce que tu as reçu, et en retour, sacrifier de ta vie pour l'autre vie. »

C'est remercier Dieu du don de la vie en la vivant de façon exaltante.

C'est remercier Dieu de ses talents et de ses aptitudes en les mettant au service du bien commun.

C'est remercier Dieu de tout ce que les hommes et les femmes de la terre ont fait pour soi à travers leurs accomplissements auprès des autres.

C'est remercier Dieu de toutes les occasions qu'il te donne en les acceptant comme des défis à ta réussite.

C'est remercier Dieu du bonheur en essayant de rendre les autres heureux.

C'est remercier Dieu de la beauté en semant la beauté dans le monde.

C'est remercier Dieu de l'inspiration en devenant une source d'inspiration.

C'est remercier Dieu de la beauté et de la force en apportant respect et soin à son corps.

C'est remercier Dieu des idées créatrices et enrichissantes en contribuant de sa créativité au progrès de l'humanité.

C'est remercier Dieu de chaque nouvelle journée en la vivant intensément.

C'est remercier Dieu en donnant à ton âme reconnaissante, des mains, des bras, des jambes et une voix.

C'est compléter des prières d'action de grâce par une vie d'action de grâce.

L'art de s'

ACCOMPLIR

Pinceau en main, debout devant l'immense toile vierge du temps, tu es un peintre de la vie, et on peut voir sur ta palette tes pensées, émotions et actions.

Tu choisis des couleurs pour tes pensées, tantôt ternes, tantôt brillantes, faibles ou fortes, bonnes ou mauvaises.

Tu choisis des couleurs pour tes émotions, discordantes ou harmonieuses, douces ou criardes, faibles ou fortes.

Tu choisis des couleurs pour tes actions, froides ou chaleureuses, timides ou audacieuses, sur un mode majeur ou mineur.

Visionnaire, la puissance de ton imagination créatrice te permet de saisir ton rêve.

Tu vois celui que tu voudrais être.

C'est toi, ce vainqueur qui marche à grands pas vers l'aube de tes magnifiques réalisations.

C'est toi, cet éminent serviteur de la race, ce bienfaiteur de l'humanité, rayonnant de bonheur.

C'est toi, ce bâtisseur, ce créateur qui contribue à l'évolution du monde.

Tu fais tout en ton pouvoir pour fixer cet idéal sur la toile du temps.

Tu choisis les plus belles couleurs du coeur, de l'âme et de la raison, et tu les mêles aux plus chères qualités de la vie, patience, détermination, endurance, discipline personnelle, travail, amour et confiance.

Chaque moment de ta vie ajoute un coup de pinceau au tableau de ton accomplissement.

Il y a les touches de fond, puissantes et audacieuses, de l'idéal qui se réalise.

Il y a les ombres et les lumières qui créent la force et la profondeur d'une vie.

Il y a enfin les rehauts qui ajoutent au tableau caractère et valeur.

L'art de s'accomplir, c'est l'art de faire de la vie, de ta vie, un chef-d'oeuvre.

L'art de

RESTER JEUNE

L'art de rester jeune est avant tout une attitude *intérieure*. C'est la jeunesse de l'intelligence, du coeur et de l'âme qui compte, et elle n'a rien à voir avec les apparences *extérieures*, les rides et les cheveux gris. C'est à l'*intérieur* de nous que se trouve la fontaine de Jouvence.

La jeunesse, c'est de l'*intérieur* que ça se mesure. Le corps peut vieillir, mais le corps, ce n'est pas nous, et comme l'a écrit Emerson: « On ne s'attardera pas à l'âge de quelqu'un à moins que ce ne soit la seule chose qui lui reste. »

Voici les clés de la véritable jeunesse:

N'aie pas peur de continuer à te développer. C'est quand on cesse de croître qu'on devient vieux.

Accroche-toi à tes rêves parce que, comme l'a écrit un philosophe: « On peut l'enterrer, celui dont le dernier rêve est mort. »

Reste gai. Garde à l'esprit ce verset des Proverbes: « Un coeur joyeux est le meilleur des médicaments, l'esprit usé, par contre, dessèche les os. »

Sois vivant, alerte. La science a maintenant établi que l'âge ne diminue en aucune façon la capacité de penser; tout au plus note-t-on peut-être un léger ralentissement de la pensée.

Sors de ta routine. Souviens-toi que les sentiers battus appartiennent aux hommes battus. Va voir des endroits que tu ne connais pas, lis de nouveaux livres, adopte des passe-temps différents, c'est ainsi que l'on donne plus de poids à sa vie.

Reste souple, ouvert à de nouvelles expériences. En aucune façon, il ne faut accepter le durcissement de ses artères.

Inspire-toi de la jeunesse d'esprit de ceux qui, toute leur vie, sont restés créateurs: Goethe qui a fini son « Faust » à 80 ans, le Titien qui à 98 ans peignait encore, Toscanini à son pupitre à 85 ans, le juge Holmes rédigeant, à 90 ans, des décrets de la cour suprême, Edison encore au travail dans son laboratoire à 84 ans, Benjamin Franklin qui à 80 ans participait à la rédaction de la constitution américaine.

Fais quelque chose de constructif, fixe-toi de nouveaux objectifs dans la vie. L'homme qui, à quatre-vingt-dix ans, planta son arbre, était un visionnaire. Il est temps de commencer aujourd'hui les oeuvres qui se poursuivront après toi.

Fais le bien. Travaille à des causes nobles dans ta ville, ta province, ton pays, et dans l'univers entier.

Garde ton coeur jeune. « S'il était possible qu'un vieillard meure avec un coeur d'enfant, ce ne serait pas une si mauvaise habitude, » écrivit le poète Carl Sandberg.

Reste jeune en sachant que « ceux qui servent le Seigneur devront trouver de nouvelles forces; ils devront s'élever avec les ailes de l'aigle, courir sans lassitude, marcher sans défaillance. »

L'art du

TRAVAIL

Le travail met l'homme au monde, le fait passer à l'action. Rien ne se produit avant qu'il n'aille travailler. C'est le travail qui crée le monde dans lequel nous vivons.

Une bonne attitude face au travail décuple la réussite.

Ce que l'on pense de son travail, la façon dont on se sent face à son travail, ce que l'on fait de son travail, c'est tout ça, l'art du travail.

C'est ne plus considérer le travail comme un esclavage, mais le voir comme la liberté de créer, de bâtir, de venir en aide.

C'est tenter de trouver un travail que l'on aime, qui tienne à coeur.

C'est idéaliser son travail, qu'il devienne une mission, une carrière.

C'est faire son travail si bien qu'il ouvrira de nouvelles voies. L'excellence au travail mène à de plus grandes choses.

C'est exalter son travail, le coiffer d'une auréole.

C'est dire à la suite du poète Henry van Dyke: « C'est mon travail, c'est une bénédiction, ce n'est pas une malédiction! »

C'est découvrir les vertus curatives du travail. En cas d'ennui, de crainte ou d'inquiétude, en cas de découragement, un seul remède, le travail! Le travail est la clé du bonheur.

C'est faire son travail avec enthousiasme, c'est reconnaître avec Maxime Gorki que « non seulement le jeu en vaut la chandelle, mais qu'il vaut même le feu de joie au grand complet! »

C'est faire que son travail devienne une *partie de soi*, c'est le marquer du sceau de sa personnalité. C'est y mettre de son esprit, qu'il devienne le reflet de sa foi, son intégrité, ses idéaux.

C'est reconnaître que le *destin* de l'homme, c'est le travail, pas le repos. Ce n'est que par le travail que l'on peut s'exprimer et contribuer au progrès de l'humanité.

C'est aller travailler comme on va prier, pour rendre grâce, pour servir.

James W. Elliot le résume ainsi: « Travailler, c'est vivre, et bien travailler, c'est bien vivre. »

L'art de

VIVRE À JAMAIS

L'homme n'est pas seul. Depuis le début des temps, les hommes ont contribué à former les individus que nous sommes aujourd'hui.

Nous sommes les héritiers du temps. Ceux qui, à travers les siècles ont aspiré à rejoindre les étoiles, ont créé pour nous un monde stimulant et magnifique.

Ce sont les idéaux des pauvres soldats de Washington à Valley Forge, des pieux pèlerins, des vaillants découvreurs et pionniers, des combattants pour la liberté, qui vivent en nous.

Et, plus près de nous, nos parents, professeurs, prêtres et amis ont également marqué notre vie.

Plus durables que les gratte-ciel, ponts, cathédrales et autres symboles de la réussite matérielle de l'homme, la sagesse, l'exemple et l'inspiration sont les véritables monuments du coeur humain.

On éduque par l'exemple. On a dit, et avec raison, que pour grandir, l'enfant n'avait pas besoin de se mesurer à une ligne tracée sur un mur, quand il a à ses côtés l'adulte qu'il voudrait être.

La postérité n'a pas retenu le nom de Graham, le professeur de Lincoln, mais son influence reste à jamais gravée dans le coeur des hommes.

Les idées voyagent dans le temps et dans l'espace. Elles transforment le monde et renouvellent toutes choses, de la découverte du feu, de l'invention de la roue, jusqu'à la fission de l'atome.

La puissance des mots est éternelle. Le sermon sur la montagne, par exemple, continue à être une source de lumière pour chaque génération. Les paroles des grands nous servent de tremplins pour passer à des choses meilleures. De simples mots exprimant le courage, la foi et l'amour ont une importance immortelle pour des millions d'individus.

Il en va de même pour nos propres paroles, idées et idéaux qui peuvent continuer à vivre à jamais dans le coeur des autres hommes.

C'est en aidant l'homme à se développer, en travaillant pour la paix, l'entente et l'amour que notre influence pourra rejoindre celle des hommes de tous les temps et se mêler aux grands flots de l'amour de Dieu.

Mettre le poids de son influence du côté du bon, du beau et du vrai, c'est donner à sa vie toute sa splendeur. Elle rejaillit sur les autres qui deviennent plus grands, plus nobles et meilleurs que ce que l'on n'a jamais osé espérer pour soi.

L'HOMME EST LE REFLET DE SES PENSÉES

Notre esprit guide nos pas lorsque nous avançons dans la vie. La pureté de l'esprit mène inévitablement à la pureté de vie, à l'amour précieux et à la compréhension qui devraient contrôler nos actes de tous les jours et nos attitudes face à nos amis et à nos ennemis. Mais quel guide pouvons-nous consulter? Comment atteint-on la pureté de l'esprit qui à elle seule apporte bonheur et confiance? L'auteur apporte une réponse claire dans ce livre, L'HOMME EST LE REFLET DE SES PENSÉES. Ses mots ont aidé des milliers de personnes pour plus d'un demi-siècle et ils continuent à montrer le vrai chemin vers une vie meilleure à cette humanité troublée. «D'un coeur propre découle une vie propre et un corps propre», écrit James Allen. «D'un esprit mauvais découle une vie mauvaise et un corps malsain». Trop de mortels se débattent pour améliorer seulement leur position mondaine — et trop peu recherchent une amélioration spirituelle. Tel est le problème auquel James Allen a dû faire face dans son temps. Les idées qu'il a trouvées dans le plus profond de son coeur, après de minutieuses recherches, l'ont guidé aussi bien qu'elles vous guideront. *Le corps est le serviteur de l'esprit... au commandement de pensées heureuses et belles, le corps s'enveloppe de jeunesse et beauté.*

4,00$

TRÉSOR DE JOIE ET D'ENTHOUSIASME

Croyez que vous pouvez réaliser l'impossible. Essayez de rire quand les circonstances vous incitent à pleurer. Agissez comme si vous possédiez la qualité que vous pensiez ne pas avoir. Le jour où vous croyez n'avoir rien qui porte à la reconnaissance, écrivez une lettre de remerciement à quelqu'un qui a déjà fait une différence dans votre vie. Ouvrez votre porte aux gens joyeux et enthousiastes.

Ces recommandations de Norman Vincent Peale, célèbre à travers le monde, ne peuvent-elles pas faire la moindre différence dans *votre* vie?

Dans TRÉSOR DE JOIE ET D'ENTHOUSIASME, vous verrez comment elles ont pourtant changé la vie d'innombrables personnes et comment elles *peuvent* et *vont* changer la vôtre.

10,95$

En vente chez votre libraire

Les éditions Un monde différent ltée
3400 Boul. Losch, Local 8
St-Hubert, Québec, Canada
J3Y 5T6

Achevé d'imprimer au Canada
sur les presses de
l'Imprimerie Gagné Ltée
Louiseville